Une nuit
au grand magasin

Joan Phipson est née à Sydney (Australie) en 1912. De parents anglais, elle a passé son enfance entre l'Australie, l'Angleterre et l'Inde. Elle vit avec son mari en Australie où elle a élevé ses deux enfants, Anne et Guy.

Véronique Cau est née en 1948 à Toulon. Elle habite aujourd'hui à Cherbourg, et consacre son temps à l'illustration des livres pour enfants.
Du même illustrateur dans Bayard Poche :
Mystère dans l'escalier (Mes Premiers j'aime lire)
C'est la vie, Julie ! - Le géant enseveli - L'or des mages - C'est dur d'être un vampire - Gaby, mon copain - Les yeux de Salka (J'aime lire)

Onzième édition

Une nuit
au grand magasin

Une histoire écrite par Joan Phipson
traduite par Laurence Kiéfé
illustrée par Véronique Cau

J'AIME LIRE
BAYARD POCHE

Dans la bousculade

C'est l'hiver et la nuit tombe de bonne heure. Il fait déjà noir quand la famille Simonet entre en courant dans les Nouvelles Galeries.

– Vite ! crient les parents. Ça va fermer et on n'a encore rien acheté pour le dîner !

Ils foncent vers le rayon de l'alimentation.

Béatrice les suit en tirant son petit frère Michel par la main. Elle en a assez de toutes ces courses dans les grands magasins. C'est une vraie manie chez les parents. Ils décident soudain qu'il manque plein de choses à la maison et qu'il faut tout acheter en une seule fois : des vis, un abat-jour, des culottes... On trouve tout dans les grands magasins ! Peut-être, mais on trouve surtout des gens qui vous poussent et vous écrasent les doigts de pieds.

– Aaaaïe ! hurle Michel, qui vient de prendre

un coup de tringle à rideaux dans les côtes.

– Tu ne vas pas te mettre à pleurer, lui dit Béatrice. Dépêche-toi, sinon on va perdre les parents !

Monsieur et madame Simonet se sont arrêtés devant la caisse numéro un.

– Les enfants, vous allez nous attendre ici, compris ? Béatrice, surveille ton frère. On va acheter un poulet rôti et on revient tout de suite.

Béatrice serre plus fort la main de Michel et regarde ses parents disparaître entre les étalages.

– Tu me fais mal, je veux aller avec maman !
crie Michel en se tortillant.

En deux secondes il réussit à se dégager et à
filer. Mais il se retourne en faisant une grimace
à sa sœur, et plaf ! il s'étale dans les jambes
d'une dame. Pour ne pas tomber, la dame s'accroche à un étalage, et c'est la catastrophe. Une
pyramide de pots de miel s'effondre. Des
paquets de farine dégringolent et crèvent en
faisant un gros nuage blanc.

– Quel sale gosse ! Si c'était le mien, je lui ficherais une de ces claques ! On n'a pas idée de le laisser courir comme ça !

Michel est terrorisé par la dame. Il reste immobile, les yeux écarquillés, couvert de farine et de miel. Béatrice attrape sa petite main toute poisseuse :

– Ne restons pas là, Michel. Viens, on va chercher les toilettes et je vais te laver.

Et, sans hésiter, elle entraîne son frère vers l'escalier roulant.

Tout seuls

Les parents n'ont rien vu, ils font la queue à la rôtisserie. Au bout d'un moment, monsieur Simonet jette un coup d'œil à sa montre et dit :

– Bon sang, six heures et demie ! J'ai promis de repasser au bureau pour prendre un dossier. J'y vais, chérie ! On n'a pas besoin d'être deux pour acheter ce poulet. Tu prends les enfants avec toi et on se retrouve à la maison, d'accord ?

Il s'en va sans attendre la réponse de sa femme. Mais madame Simonet n'a pas bien entendu. Elle est en train de regarder les poulets et elle murmure :

– D'accord, tu prends les enfants avec toi et on se retrouve à la maison...

Quelques instants après, elle ramasse sa monnaie et son poulet et elle s'en va à son tour. Elle

sort tranquille-
ment du magasin,
sans se faire de souci
pour ses enfants, puisqu'elle

est
sûre qu'ils
sont partis avec
son mari. Pendant ce
temps, Béatrice et Michel grim-
pent les escaliers roulants. Ils vont
vite, car plus personne ne monte : les gens
descendent et se dirigent en hâte vers la sortie.

– Je me demande où sont les toilettes, dit
Béatrice. Il faut vraiment qu'on trouve de l'eau.
Tu as l'air d'une vieille sucette collante.

– Ben quoi, c'est rigolo !

Michel lèche son imperméable tout dégouli-
nant de miel.

– Tu en veux un peu ?

– Arrête, c'est dégoûtant ! Allez, viens, dépê-
chons-nous, les parents vont nous chercher
partout.

Ils finissent par trouver des toilettes au cinquième étage, au rayon des meubles.

Béatrice mouille son mouchoir et nettoie
consciencieusement son petit frère.

– Voilà, c'est déjà mieux. Tu n'es plus collant,
en tout cas.

– Oui, mais j'ai froid, et j'ai envie de faire pipi
en plus.

Béatrice enlève son manteau et, patiem-
ment, elle enveloppe Michel dedans. Puis elle

l'emmène faire pipi. Elle est inquiète : ça fait un bon moment qu'ils ont quitté le rez-de-chaussée du magasin. Les parents vont sûrement la gronder pour être partie sans prévenir.

Le rayon des meubles est silencieux. Il n'y a plus de musique. Béatrice et Michel courent vers l'escalier roulant. Quatrième, troisième, deuxième étage : il n'y a plus personne dans les allées. Béatrice commence à s'affoler. Vite, voilà le rez-de-chaussée, vite, le rayon de l'alimentation, vite, la rôtisserie, vite, les parents...

Mais il n'y a plus de parents. Tout est fermé, tout est désert.

– Michel ! Ils sont partis sans nous attendre ! Qu'est-ce qu'on va faire maintenant ?

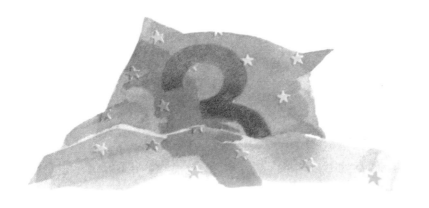

Pique-nique de nuit

Michel n'a pas l'air inquiet, lui.

– J'ai faim ! dit-il.

Ça sent bon dans ce coin du magasin. Il y a des odeurs de charcuterie, de pizza et de fromage.

– Tu as raison, dit Béatrice, je mangerais bien un petit truc, moi aussi.

Elle hésite un peu. C'est quand même embê-
tant de se servir dans les étalages. Si jamais
quelqu'un les surprenait...

– Oh, et puis zut ! Il n'y a personne. On va
manger, et après, on se débrouillera pour rentrer tout seuls à la maison. Qu'est-ce qui te fait
envie, Michel ?

– Je veux du saucisson, du chocolat et des
chips !

Ils s'installent au pied de la rôtisserie et ils
mangent en silence.

Tout de suite après ils se dirigent vers les
portes vitrées. Ils essayent de les pousser, de
les tirer l'une après l'autre : rien à faire, pas

une seule ne s'ouvre. Le magasin est bouclé pour la nuit.

– Zut alors ! dit Béatrice. On ne va quand même pas rester ici !

Michel tombe de sommeil. Il s'assoit par terre et suce son pouce. Tout d'un coup, Béatrice se souvient du rayon des meubles, et elle a une idée géniale.

– Viens, Michel. On va se reposer un petit peu.

Elle pense : « Je vais le coucher, et quand il dormira, je redescendrai toute seule pour chercher la sortie de secours. Il doit bien y en avoir une dans un si grand magasin, et je la trouverai. »

Comme les escaliers roulants ne fonction-
nent plus, Béatrice monte les marches une par
une, au rythme de Michel.

Elle entend soudain des voix et des rires. Ce
sont des balayeurs qui descendent en discutant
bruyamment. Béatrice a d'abord envie de leur
demander du secours, et puis elle change d'idée.

– Cachons-nous ! S'ils s'aperçoivent qu'on
a volé de la nourriture, ça va faire toute une
histoire.

Les enfants se glissent derrière un gros pilier, et ils reprennent leur ascension dès que les balayeurs sont passés.

Au rayon des meubles, Béatrice installe Michel dans un grand lit, très confortable. Elle le couvre avec une couette bleue décorée d'étoiles.

– J'en voudrais une comme ça à la maison, dit Michel en suçant son pouce.

Béatrice s'allonge près de lui. Elle chantonne en lui caressant la main. Cinq minutes après, il dort profondément. Et elle aussi.

Un tour de vélo-cross

Une heure passe. Béatrice se réveille en sursaut. On a baissé les lumières et tout le magasin est dans la pénombre.

Michel dort à poings fermés. Béatrice se lève, et pour se donner du courage elle se répète : « Allez, ma petite Béa, tu n'as plus qu'à trouver

la sortie de secours. Ensuite, ce sera facile. On rentrera à la maison, et on saura enfin pourquoi les parents nous ont fait un coup pareil. »

En arrivant au troisième étage, elle se sent tout à fait rassurée. Finalement, c'est assez drôle d'avoir un grand magasin rien que pour soi !

Le rayon des jouets est là, devant elle. « Si j'allais y jeter un petit coup d'œil », se dit

Béatrice. Il n'y a personne pour m'empêcher de toucher, c'est le moment d'en profiter !

Elle essaie quelques jeux électroniques. Elle déshabille et rhabille une énorme poupée. Puis elle s'arrête devant un splendide vélo-cross jaune vif, avec des amortisseurs en caoutchouc noir.

– Juste un petit tour, jusqu'au bout de l'allée ! Depuis le temps que j'en ai envie...

Aussitôt dit, aussitôt fait. Béatrice enfourche la bicyclette et s'élance sur le tapis de l'allée.

Elle sent le vent délicieux de la vitesse, elle pédale encore plus fort.

On peut escalader les trottoirs avec des vélos comme ça, Béatrice décide d'essayer. Elle vise une sorte d'estrade, et fonce dessus en soulevant le guidon de toutes ses forces.

Elle réussit une première fois, mais à la deuxième, brusquement, elle perd l'équilibre et s'écroule sur un étalage. Patatras ! Cinquante boîtes de dînette lui tombent sur la tête dans un bruit abominable.

Affolée, Béatrice court se réfugier au fond du magasin. Il y a là de grands paniers d'osier sur

roulettes : elle saute dans le premier, se roule en boule et attend en regardant à travers les fentes.

C'est alors qu'elle voit apparaître une grande silhouette sombre. « Malheur ! Mais qui est-ce ? Sûrement un voleur ! »

L'homme se déplace silencieusement sur des semelles de crêpe. Il passe devant Béatrice sans la voir et continue d'avancer en balayant l'étage de sa lampe-torche.

Quand l'homme est assez loin, Béatrice sort du panier. Elle aperçoit un téléphone fixé au mur et elle pense tout de suite : « Au lieu de

chercher la sortie, il vaut mieux que j'appelle au secours, ça ira plus vite. »

Elle décroche l'appareil en tremblant, mais avant même d'avoir composé un numéro, elle entend :

– Allô, qu'est-ce qui se passe ?

Elle murmure tout bas :

– Venez ! Venez vite, s'il vous plaît !

– Je n'entends rien, dit la voix. Enfin, pas de panique, on arrive !

Béatrice raccroche, un peu soulagée. Quelqu'un vient de lui parler, et ce quelqu'un va venir les délivrer. Mais en attendant, il ne faut surtout pas que le voleur découvre Michel sous sa couette !

Elle retourne vers l'escalier roulant sur la pointe des pieds. Soudain, au détour d'une allée, elle voit l'homme, penché sur les boîtes de dînette renversées.

Béatrice recule dans l'ombre, mais trop tard. L'homme s'est retourné et, d'une voix autoritaire, il crie :

– Qui est là ?

Quelle panique !

Béatrice repart à toute allure en sens inverse. L'homme la poursuit. Elle fait le tour de l'étage et revient à l'escalier roulant. En grimpant les marches quatre à quatre, elle arrive, tout essoufflée, à l'étage supérieur. Elle se jette au milieu d'un groupe de mannequins

et elle reste immobile, retenant sa respiration.

Par chance, l'homme passe devant les mannequins sans rien remarquer. Il inspecte les cabi-
nes d'essayage, un peu plus loin, et il s'éloigne
dans le rayon des vêtements pour dames.

Béatrice se met à quatre pattes pour sortir de
sa cachette. Elle atteint l'escalier roulant et,
avec mille précautions, en s'arrêtant à chaque
marche, elle monte vers le rayon des meubles.

Elle entend sous l'escalier les pas de l'homme qui continue à la chercher. Elle pense avec angoisse : « Quand il verra que je ne suis plus au quatrième étage, il viendra sûrement au cinquième... et si jamais il nous trouve, Michel et moi, ce sera terrible ! Qu'est-ce que je peux faire pour me défendre et pour protéger mon petit frère ? »

À tout hasard, Béatrice s'empare d'un parasol : « Un bon coup de ce truc, ça doit suffire à

assommer le voleur, au moins pendant un moment. »

Tout à coup, un long hurlement retentit dans le magasin : Michel vient de se réveiller et il crie, affolé de se retrouver tout seul dans un lit inconnu.

Béatrice court à lui :

– N'aie pas peur ! Je suis là, on va bientôt rentrer à la maison...

Elle le prend dans ses bras et le réconforte, sans lâcher son parasol.

Maintenant, c'est sûr, l'homme a dû les repérer. Il va les prendre, elle et Michel. Il va les emmener. Mais au fait, pourquoi ce voleur tient-il tellement à les attraper ? Béatrice n'a pas le temps de réfléchir à cette question, car elle entend déjà les pas de l'homme qui approche.

– Michel, il y a un type horrible dans le magasin. Je ne sais pas qui c'est. Cache-toi, il arrive, moi, je vais me débrouiller.

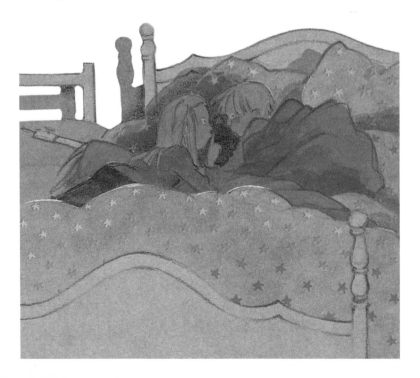

Elle pousse Michel sous le lit de toutes ses forces, et elle crie :

– Partez, partez ou je vous tape dessus ! En un clin d'œil, l'homme attrape le parasol et le secoue comme une brute.

Béatrice est obligée de céder, mais elle n'abandonne pas la bataille. Elle griffe, elle mord, elle lance des coups de pied. Michel, qui voit tout de sa cachette, recommence à hurler.

– Allons, allons, du calme ! dit l'homme. Qui êtes-vous, et que faites-vous ici ?

Il se penche vers Michel.

– Et toi, qu'est-ce que tu attends pour sortir de là-dessous ?

– N'y touchez pas ! C'est mon frère !

– Mais je ne veux pas lui faire de mal, à toi non plus d'ailleurs ! Je veux juste savoir qui vous êtes !

C'est bizarre, la voix de l'homme n'est pas vraiment méchante...

– Et vous alors ? dit Béatrice. Vous êtes un voleur, hein ?

– Un voleur ? Mais pas du tout ! Je suis le gardien. Je surveille le magasin pendant la nuit.

Un chocolat chaud

D'un seul coup, Béatrice sent toutes ses forces l'abandonner. Elle demande d'une voix tremblante :

– Est-ce que vous pourriez vous occuper de nous ? Vous comprenez, j'ai lâché Michel, et il est tombé dans le miel, et puis je l'ai lavé, et après papa et maman sont partis sans nous...

Béatrice ravale un sanglot. Michel s'accroche au bras de sa sœur. Le gardien de nuit les regarde tous les deux : il se demande ce qu'il va bien pouvoir faire d'eux.

Soudain, on entend un grand remue-ménage qui semble venir du rez-de-chaussée.

– Mais qu'est-ce qui se passe encore ? dit le gardien. Restez là, les enfants. Je vais voir. Je reviendrai vous chercher.

Et il descend à toute vitesse.

Béatrice s'assoit sur le lit. Michel vient se blottir près d'elle, tout chaud et gentil. Elle

renifle un grand coup et se dit : « C'est pas le moment de pleurer, ma petite Béa. Tout va s'arranger, maintenant. Le gardien va téléphoner aux parents... »

Et elle ajoute tout haut :

– Hé, Michel, c'est fini, cette histoire. On va rentrer à la maison.

Ils entendent des pas, et brusquement toutes les lampes du magasin s'allument. Ils voient arriver derrière le gardien un groupe de messieurs en uniforme. Il y a là un policier et deux pompiers dont les casques brillent dans la lumière. L'un des pompiers demande à Béatrice :

– C'est toi qui nous as téléphoné sur la ligne directe tout à l'heure ?

Béatrice fait « oui » de la tête. Elle n'a plus la force de parler. Le policier demande à son tour :

– Est-ce que c'est vous, les enfants Simonet ? Vos parents nous ont téléphoné au début de la soirée pour dire que vous aviez disparu. Ils sont très inquiets.

– Oui, c'est bien nous, répond Béatrice.

– Alors tout s'arrange ! dit le gardien. Venez dans mon bureau, ce sera plus confortable pour attendre vos parents. On va les prévenir tout de suite. Ils seront là dans une vingtaine de minutes.

L'un des pompiers prend Michel dans ses bras. Le gardien de nuit tend la main à Béatrice. Elle ne pense plus qu'à une chose : retrouver ses parents, sa maison, son lit et... arrêter de trembler.

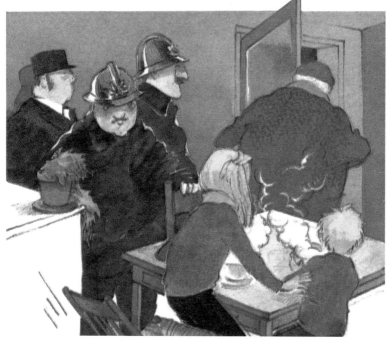

Dans le bureau, le gardien de nuit leur prépare du chocolat chaud. Pendant qu'ils boivent, une sonnerie résonne. Monsieur et

madame Simonet entrent et se précipitent vers leurs enfants.

Ils se mettent à parler tous les deux en même temps. Ils racontent leur affolement, leur visite au commissariat, leur attente. Béatrice écoute leurs explications sans desserrer les dents. Puis elle murmure :

– Vous nous avez laissés ! Vous êtes partis sans nous !

– On ne l'a pas fait exprès, dit son père. C'était un affreux malentendu. Ça ne se reproduira plus jamais, je te le promets.

Madame Simonet fait un pas en avant, et soudain Béatrice s'élance : elle enfouit sa tête dans la veste de sa mère et elle laisse enfin couler les larmes qu'elle a retenues pendant si longtemps.

– Elle est rudement courageuse, cette petite, dit le gardien. Vous pouvez être fiers d'elle !

Papa prend Béatrice par la main, et les quatre Simonet sortent enfin du grand magasin.

J'AIME LIRE

Les premiers romans à dévorer tout seul

 Se faire peur et frissonner de plaisir Rire et sourire avec

des personnages insolites Réfléchir et comprendre la vie de

tous les jours Se lancer dans des aventures pleines de

rebondissements Rêver et voyager dans des univers fabuleux

Le drôle de magazine
qui donne le goût de lire

- un roman inédit illustré
- des jeux pour s'amuser et être créatif
- la célèbre BD de Tom-Tom et Nana et bien d'autres surprises !

Le **1er** magazine des **7-10** ans

Achevé d'imprimer en mai 2005 par Oberthur Graphique
35000 RENNES – N° Impression : 6468
Imprimé en France